長井平野

科学と宗教

科学と宗教Ⅰ・Ⅱ　科学的な物の見方・考え方

東京図書出版

まえがき

人は何をどのように見るべきか、また何を学び、何を考えるかについては常に正しい意識を持つことが大切である。

物の見方には「主観的見方」と「客観的見方」とがあり、科学の世界はあくまで客観的見方が要請されなければなりません。科学的思考は客観的対象に対する論理の道筋をたどるもので、その結論は学問に裏付けられる体系を持ち、科学的事実を客観的に納得されるものでなければならないのです。

科学は「知性の世界」とすれば、意識の働く世界は「感性の世界」と見ることができます。またそれは「心の世界」とも考えられます。

科学的真実は合理の世界、理性の世界であり、常に透徹した深い思慮と直観が必要なのです。

科学と宗教 ◇ 目次

科学的な物の見方・考え方……55

科学と宗教　I

「科学と宗教」という題目は極めて大きく、今日最も重要な問題であると思っています。また題意を「科学および宗教」と取るべきか、あるいは「科学と宗教との関係」という意味で取るべきなのか、適当に解釈して考えを述べてみたいと思います。先ずは順序として。

1 知を求める心、真実を求めようとする精神

「人は考える葦である」と言われるように、人間は生まれながらにして物を知ろうとする意欲を持つもので、知識への憧れ、あるいは情熱を持つようになります。しかもあらゆるものを徹底的に知り抜こうとする心は発達し、考える力ができてくると、本当のものを知ろうとする態度が生まれてきます。それが単なる知識では満足せず、さらに真理を求めようとする意志となって、考える能力と共に心の展開が行われるようになると思います。このように人は、知を求める心から真実を求めようとする精神に高められるものであると思います。

今真実を便宜上、科学的真実、哲学的真実と宗教的真実の三つに分けて考えてみます。

2 科学的真実の追究方法としての科学

科学は、いろいろな現象やさまざまな存在に対し、正確な知識を必要とするものであり、それぞれの特定の対象を持っています。即ち自然科学としては物理学、化学、生物学等の分野があり、その他に社会科学と称する分野があります。

これらの特定分野の対象の中に存在する心理を探求しようとするのが科学でありま す。科学者は科学的現象に対する合理性を信じ、知識の正確さとその体系化を目指して精進します。

科学の正確な知識を得るには精密な定量的計測が必要となります。それによって、ものの存在形式や現象の推移、現象と現象との関連などを明確にしようとします。

この場合のものの見方はあくまでも客観的立場に立つことでしょう。科学には主観は許されません。それは自然科学においても社会科学においても同じです。

そして科学的思考においては、合理性を軸とした理論によって貫かねばなりません。ものの存在や現象に対する科学的認識は一般に分析と綜合によって行われる場合が多いと思われます。これは科学的認識の方法の一つと考えられます。

分析とは本来一つのものであるものを分けて認識するということです。対象を研究するために部分に分けられます。そして分析したものを、もう一度一つにまとめるのが綜合であります。

したがって分析と綜合とは反対概念ですが、しかし綜合は部分があって初めて成り立つことから分析と綜合は共通の地盤に立っているとも考えられます。

我々は「分析と綜合」という認識方法を繰り返し訓練することによって直観力あるいは直覚力が養われます。直覚力とは分析と綜合とが無意識のなかに行われて直截的結論に到達する能力を言います。

しかし、ここで考えなければならないのは、本来一つであるものを多数の素材や素現象に分析して、これを再び綜合しても、果たして元のものを真に表し得るか甚だ疑問であるということです。

仏教哲学の言葉に「多即一」「一即多」というのがあります。分析は多に相当し、綜合は一に相当すると考えられます。分析と綜合との関係が「多即一」「一即多」の自覚において なされなければ真実をつかみ得ないのではないかと思われます。これはすなわち鈴木大拙博士のいう「則非」の論理に該当すると考えられます。

これまで採られてきた分析的認識の方法はそのものを端的にとらえる方法ではなく、ある立場から見た一つの射影であると言えるでしょう。つまり全体の把握ができないのではないでしょうか。

存在の認識に携わる科学者が考えた理論が正しいかどうかは事実の観察によって調べ、思考を実験によって確かめることが必要です。

私の研究室の若い者や学生に対して、常に実験によって神の声を聴けと言っております。

先ほど申しましたように科学的真実はものの存在や現象をあくまで客観的に外から見て認識するもので合理性を建前とした所謂、分別の世界であり、客観的立場からの観察や実験によって、その真実性を証明しようとするものです。

3 真実追究に対する哲学的方法

科学が、ものの存在と現象を対象としているのに対して、哲学の対象は存在の全体にあると言ってもよいでしょう。そしてその認識方法は反省と直観であると言ってもよいでしょう。

反省とは、現在の自己を見ることによって、より深く自分を掘り下げることで、より深い自我を発見することです。

哲学は合理精神と批判精神の上に成り立つと考えられます。批判のないところに真理は育たないと思います。

批判は自分に対して行う場合と他人に対して行う場合がありますが、他人に対して行う場合は、同時に自分自身の見解を表明することが大切です。もしもそうでなければ単なる悪口になってしまうでしょう。

哲学における批判は自己批判でなければならないでしょう。すなわち反省とは自己批判を意味します。

それは自分を放棄することによって成り立つものと考えられます。

カントは、「批判とは事実の可能の根拠を求めることである」と言っています。

また田辺元氏は「反省と自己否定である」と言っています。

このように考えると反省は現在の自己を否定することによって新たな自己を見出すことであると考えられます。

哲学は事実そのものの学問ではなく、その事実の可能の根拠を明らかにする学問であると言えると思います。

科学の対象が物質であり現象であるのに対し、哲学の対象は精神であり意識でもあると言えると思います。

そして哲学の世界もまた科学と同じく合理的世界であり、分別の世界であり、したがって理性の世界であるといえます。

また先に述べたように、科学の物の見方は「物を客体として見る」のに対し、哲学の見方は「主体と客体を含めたものの見方」をします。

科学的真実の認識方法が「観察」と「計測実験」によるのに対し、哲学的真実の認識方法は、「反省」と「直観」によるものであると言えるでしょう。

4 宗教的真実

科学と哲学の世界が合理の世界であり、理性の世界であるのに反し、宗教の世界は合理を超越した世界であり、超理性の世界であると言えます。また宗教は「ものの根源の世界」であると考えられます。

このような合理性を超え、理性を超えた世界をどのように説明すべきでしょうか。人間の話す一般的な言葉はどの国の言葉でも、分別の世界、理性の世界、合理的世界に通用するように作られてきたものです。ヨーロッパで論理形態として重要視されてきたロゴスが正に理性、判断、認識の上で必要とされてきたことはご承知のとおりです。

言葉は国や民族によって一般に異なっていますが、最も厳密で世界共通の言語と考えられるのは、数学であると思います。「数学的言語」は科学的真理を述べるのに最も正確な論理的言語と考えられます。しかし宗教の世界、超理性の世界には適切な言葉はないと言ってもよいと考えられます。

釈尊が迦葉尊者に宗教的真実を伝えたと言われる「拈華微笑」の伝説はよくその事情を示していると思います。

したがって宗教の世界は、教外別伝、不立文字であると言われます。この不立文字の世界を何とかして文字で表現しようとしたのが経典であると思います。

万言を尽して不立文字たる真実を語ろうとしているのが経典であると思います。特に仏教の経典は立派な文学であり、優れた詩であり、哲学であると思います。すなわち経典という宗教哲学が成り立っていると考えられます。

宗教的真実の認識は、科学や哲学における認識方法と全く異なるといって良いと思います。それはただ自己自ら体験することによってのみその真実性を証するものと考えられます。

宗教には多くの問題がありますが、その中で、キリスト教と仏教が最も私の魂に迫るものがあるように思われます。

信仰の動機は人によってさまざまであると思われます。自分の弱さによる不安と焦燥、失望と恐怖、人生の虚しさ、人間としての罪悪感、罪業の深さを痛感しての信仰動機などいろいろであると思います。

このように動機は別々であっても信仰によって諸々の悩みが解決するというのは、その悩みの延長方向に沿って問題を解決するのではなく、全く次元の異なった方向への超躍によって解決されるのであります。これを「此岸より彼岸への超躍」と言っております。親鸞はこれを「横超」と言っております。これは人間の自己認識の一大転換を示すものであると考えられます。

それでは信仰とは何でありましょうか。いろいろな書物に信仰についての定義がありますが、ここでは一応、古田紹欽氏の言葉を借りて説明を試みてみましょう。

すなわち信仰は、「人間が人間であることを超えて人間であることが自覚されたときに証される」ものであると述べております。

宗教はその宗派や教義によって性格が異なっているように思われます。

キリスト教では神を中心とした宗教であります。キリスト教信者はこの絶対者である神に自己のすべてを棄てて帰依することによってこの信仰の自覚を得ようとするものであります。キリスト教の神は「絶対の神」であり、「創造の神」であり、すべてのものを「支配する神」であります。そして、神は人間を造り、人間を「裁く神」であります。

これに対して、特に禅宗では「即身成仏」と言い「直指人心見性成仏」と言います。人の心の本性を正しく見ることができれば、その時そのまま仏であると言うのです。成仏とは古田紹欽氏の言葉で示せば、「人間が人間であることを超えて人間である」ことの自覚を得たことであると言えます。

この自覚は、生身を持った人が否定されて人間の根源のところに帰するということであります。このような人間は最早肉体をもった限界のある自己ではなく、「無相の自己」ということになります。自己であってしかも無相であります。すなわちこれは「自己否定の自覚の上に顕現した自己」であります。このような自己を「絶対無的自己」とも言われます。

道元禅師は、心身脱落、脱落身心と言って仏教の神髄を解いておられます。曰く、「仏道になろうとは自己をなろうことなり、自己をなろうとは、自己を忘るるなり、自己を忘るるとは、万法に証せらるるなり、万法に証せらるるとは、自己の身心をして脱落せしむなり」と。

これは慧能禅師の、我本来「無一物」の自覚であります。無一物であるならば「無一物中無尽蔵」の心境となり、自己がなければ総てが自己であるという自覚となります。このような自己を「超個の個」とも言います。ここで「我れ天地と同根、万物と同体」という自覚が生じます。

この心境を無難禅師は次のように歌っています。

「ひたすらに身は死に果てて生きのこる、ものを仏と名はつけにけり」

と、これが仏であると禅師は言うのであります。

また道元禅師も仏になることについて、

「ただわが身をも、心をも放ち忘れて仏の家に投げ入れて、仏の方より行われて、これに随いもてゆく時、力も入れず心をも費やさずして生死を離れて仏となる」と言っており、日本曹洞宗の開祖と言われる道元禅師が、全く他力の心情を示したものと考えられます。これは信仰の極地は自力も他力もないことを示すものと考えても良いと思います。道元のこの心情は親鸞の「自然法爾(じねんほうに)」の心と全く同一であると言ってもよいでしょう。

キリスト教におけるパウロも次のように言っております。

「もはや、われ生くるに非ず、キリスト我にありて生きるなり」と。

これらの言葉は、いずれも「自己否定」を表しています。そしてこれは皆「自己認識に対する一大転換」にあって初めて表現できる言葉だと思います。

我が国における浄土真宗は阿弥陀如来を信心しますが、これは形式的には禅宗と異なり、むしろキリスト教に似ているように見えます。つまり、キリスト教の超越の神と同じく「真如より来生した絶対超越者」と考えているようです。

キリストの神は愛の神であり、救いの神であり、そして人間は神の子と考えるのです。

仏教の理想はキリスト教の神の救済ではなく、特に禅宗では解脱であります。禅の修業というものは精神修養でもなければ人格完成の道でもないのです。また自己の救いでもないのです。解脱の行は自己否定の行なのです。

キリスト教では「死して天国に生まれて永遠の浄福に恵まれる」と言います。またキリスト教の信仰では「天にましますの我等の父よ」と呼びかける、すなわち、神を自己の外に仰ぐ、これは二元論と考えられ、完全な自己否定ができない、神を天に仰いでこちらに自己を認める呼びかけであります。神と人との関係は常に「主と下僕」の関係にあります。

これに対して真宗では、

「唱うれば仏も我もなかりけり
　南無阿弥陀仏、南無阿弥陀仏」

という歌に示されるように、仏と我とは一体であります。仏と我の外において祈っているのではないのです。この信仰の状態は、正に「念仏が念仏申す」の心境なのです。

もっともこの歌は、ある和尚が弟子に対して、念仏の修業の成果を確かめようとして、念仏の心境を尋ねたのに対し、弟子は次の歌でその心境を、

「唱うれば仏も我もなかりけり
　南無阿弥陀仏の声ばかりして」

と答えた。師匠は叱って言った「どこにそんな声ばかりしているのだ」と。

この歌では念仏している自己と念仏の声が二つになって自己を完全に忘れた状態でないことを指摘したのです。宗教の信仰は「主客一如」の状態でなければ本当ではないと言えるでしょう。

久松真一氏は、宗教は「世界全体を包むものの根源を自覚することである」と言っています。これは正に宗教の本質を言いえた名言であると思います。

この絶対的根源が生きて働くものとして最高の価値があり、慈悲が顕れると考えられます。ここで絶対というのは全体であって、しかも他のものによってかえることのできないものを絶対と言っています。

この価値と慈悲の顕現を創造と言うことができます。すなわち久松氏の考えから言えば絶対無が創造的主体となって働いてくるもので、これを「創造的無」と言っております。

このように考えると、人間の創造教育はこの線に即して行われなければならないということになります。ここに人間の教育の本源があると思います。

また人間の歴史は創造によって作られたものと考えられますので、人間の歴史は価値の創造であり、慈悲の顕現によって作られなければならないということになります。最高価値とか絶対価値というものは相対的価値を超えたもので、人間に最高の使命感を自覚させるものです。

このように考えると、人間にとって一番大切なものは何かという質問に対するこれが一つの答えとなるものと思います。

宗教的生活の本質は、ものの根源を自覚したところから発する行為にあると思われます。

仏教では、これを「法を主体とする生き方が人間として本来の自己の生き方を実現する」と言います。

これまで、真実について、便宜上三つに分け、その世界と真実の証明、認識の方法の相違を述べてきました。すなわち、

1　科学的真実は分別合理の世界で、精密な計測実験と正確な観察によって証される。

2　哲学的真実は、合理の世界、論理の世界で、反省と直観の繰り返しによってその真実性を証しようとする。

3　宗教的真実は、超理性の世界で、宗教体験によってその真実性を証する。

以上三者は、それぞれ異なる対象をもち、真実に迫る手段方法が異なりますが、その奥にある真実の根源を指向するものとして三者一体であると考えてよいと思います。

5 哲学を媒介としての科学と宗教との相補関係

宗教の本質は不立文字と言われますが、あえて文字や言葉で表せば「色即是空」であり、馬祖道一禅師の「即心即仏、非心非仏」であり、また「南無阿弥陀仏」であります。

これは皆「超理性の世界」に翻訳する必要があります。この翻訳を受け持つものは宗教哲学であると思います。

この哲学によって科学と宗教との相関関係を明らかにして行くことが、我々人間として只今やらなければならぬ責務ではないでしょうか。

ここで大切なことは、我々の科学や宗教は単なる認識のためにあるのではなく、むしろ行動のためにあると考えるべきでしょう。科学は行動によって技術となって発展し、また医学となって人間の生命を具体的に支える役を示しています。

宗教もまた同様に具体的行動となって現実に生きなければならないと思います。すなわち、「我れ天地と同根、万物と同体」の精神を現実に行為することでなければなりません。

人はパンのみによって生きるに非ずとはいえ、パンがなければ生きられぬという現実の中に生きて行為することであります。

我々は悟りだけでは生きられないのです。悟りは現実の世界の中で生きて働かなければなりません。そのためには、働きの中に「正念相続」ということが必要であります。

我々の現実は科学技術の恩恵の中にあることは事実でありますが、現在の科学には世界全体を認識する手段として限界があるということをよくわきまえる必要があります。すなわち、科学は世界全体の認識の単に一断面を受け持つに過ぎないということを知っておく必要があります。

科学は、物質とその現象を対象とする学問体系であると述べましたが、実は、現象以前のもの、そして現象をその現象たらしめているものこそ問題なのです。

このことは自然科学関係においても社会科学関係においても同じです。

社会は個人によって構成されておりますので、個人の価値観や慈悲の顕現の仕方によって、世の中は変わってくるものと思われます。個人がそれぞれ自分の内に歴史創造の担い手であることを自覚し、社会に対して価値の創造と慈悲の顕現を実行していくよう心掛けることが大切であると思います。

そのためには我々は、社会科学的現象の奥にある根源のなんたるかを洞察する必要があると思います。すなわち、社会科学における宗教的自覚が必要と思います。そのためには、社会科学に宗教哲学の目を入れなければならないと思います。そして社会の中で、このような宗教的自覚から発する必然的行為が社会的実践となったとき、宗教は宗教哲学を媒介として社会科学と互いに一如的に働き合う契機をもつことになると思います。

科学も宗教も世界全体の根源において同体的に内在しているもので別々のものではないと考えられます。言わば科学と宗教は一つのものが表裏として顕現したものであると考えられます。

宗教哲学が立派に成立するためには哲学自身の中に科学が必要であり、また科学が真の姿で進歩するためには自己の内に宗教哲学を持つことが大切となります。また宗教哲学が具体的に生かされるためにはどうしても科学が必要であります。また科学がその根源的なものと直結するためには、宗教哲学の洗礼を受けなければならないと思います。

現代宗教は長い伝統の中に生かされてきたと思いますが、それだけに形式化された部分が大きく、形式という固い鎧とマンネリズムという垢に閉ざされて、宗教自体の本質が隠されて見えなくなってきているのではないでしょうか。

これを洗い落とすためには科学という洗剤で洗い落とさなければならないでしょう。また修業僧として寺院の中に引き込んでいる禅僧は悟りという煩悩の中に安住することなく、実社会の中に飛び出し、宗教的社会実践によって社会科学に新しい息吹を与えることが大切でしょう。

ある僧が趙州和尚に「仏は誰のために煩悩するか」と問いました。これに対して和尚が仏は凡ての人のために煩悩すると言っております。

またあるとき、ある人が鈴木大拙先生に「先生の見性とはどういうものですか」と問うたとき先生は「そうだな、衆生無辺誓願度がわしの見性だな」と言われたそうです。このように鈴木先生は宗教によって世界を救おうと僧堂を出られたのであることがうかがわれます。

仏教に「安心立命」という言葉がありますが、「安心」すなわち悟りだけに止まってはいけないと思います。「立命」すなわち使命の上に立つことを忘れてはいけないと思います。

6 結　言

古来ヨーロッパにおいて宗教と科学とはいろいろな形で争ってきたと思います。互いに相容れないものとして闘争の歴史をたどってきました。しかし、この闘争は両者のドグマの戦いであり、エゴの戦争であったと考えられます。

宗教家も科学者も同じ人間であって、しかも共に真理を指向する者として、ドグマチックやエゴイズムが真理追究に最も妨げになっていることを知っているはずです。

現今にあっては、その両者の相互理解から、さらにそれを超えて「科学を科学たらしめ、宗教を宗教たらしめている根源」に触れようとする精神が生まれてくるように努力することが必要でしょう。

この際、宗教は各宗派の教理に固執することなく、その宗教的ドグマから自由になることが必要となります。

キリスト教がキリスト教である限り、また仏教が仏教である限り、両者の接近はあり得ないでしょう。キリスト教がキリスト教を超え、仏教が仏教を超えてこそ初めて新しい宗教の大殿堂が築かれるものと思います。

そして科学と宗教の一如の世界が速やかに自覚されることを請願したいものです。

現今における科学と宗教の相補関係は単に互いに足りない部分を相補うということでなく、科学の形成に宗教的反省が必要であり、宗教の本質を新しく洗い出すためには「科学的洗礼」を受けることが大切であることを意味しております。

そして科学と宗教がその根源において一如であることを自覚される世界の実現を弥陀の誓願と考えたいのです（単なる私の個人的念願ではなく）。

そのためには科学はその専門とする科学を追究するに当たって正しい哲学的思想を持つことが必要であり、また哲学者は哲学するに当たって科学的思想の持ち主であって欲しいものです。何故なら思想は人間の行動を律する上で大切な原動力となるからです。

科学と宗教が一如であることを自覚するには、現在の宗教が脱皮しなければならないと思いますが、その最も近い位置にあるのは禅であると思います。

それは、禅が常に自由を尊び、かつ世界全体を包むものの根源に触れようとする精神に満ちているように思われるからです。ここに自由と申しましたのは、規律なき自由でなく臨済禅師の言う「随処に主となれば、立処皆真なり」から生じる自由です。

人間は真実を求め、常に真に生きなければならないと思います。そして人間社会をして「ものの根源が生きて働く創造的生命の栄光的活動の場」たらしめたいと念願したい。このような社会は「絶対自由」で「廓然夢聖」の社会であることを付け加えたいと思います。

科学と宗教　II

前回では科学と宗教について入門的な一般論について私見を述べました。

この度は、その補足的な事柄を少し加えさせて頂き皆様のご批判を賜りたいと思います。

1 まえがき

人間が真に科学の恩恵に浴するためには、人間が速やかに現在の人間を超えて真実の人間に蘇ることが必要であり、人間がすべてにおいて「根源的無」の自覚に立つことだと思います。人間は学問をあくまでも「道」として使わなければなりません。道とは人の踏み行うべき規範であり、道徳であります。何物にも制約されない自由に「根源的無」が生きて働く道なのです。

「根源的無」は主体的に科学を創造し、科学の中に生きて、「無」を損なわず、科学を破らずということです。

「根源的無」が宗教的に働くことによって生ずる自覚が、悟りであります。

「真実に生きて真実を忘れる」ことのため「学・禅一如」を常に見失わないようにすることが大切であり、理性と超理性の合一の原点を見ることであるからです。

2 科学的真実と存在に対する認識

前述において、科学的な追究方法とは、ものの存在や現象をあくまで客観的に認識しようとするものであると述べました。そしてこれは合理性を建前とした分別の世界に成り立つ真実を対象とするもので、精密な観測や実験によって、その客観的真実性を証明しようとするものであることを述べました。

しかし、我々人間はその対象とする客体を純粋な客観的認識として把握することが果たして可能であるかという疑問が残ります。それは人が観察し、その観察結果について論理的思考を通して理解され表現されたものが、果たして絶対に主観の入らない純粋な客観性を持ちうるであろうかという疑問です。

これまで多くの人々は、現象の背後にあって現象を規定するところの実在を考え、それを物的なものと信じて、それを世界の究極的なものと考えてきたと思います。そこで唯物論的な発想が起こるものと思われます。

近年、科学的思考の発達につれて、あらゆる物質は分子や原子などから出来ていると考えるようになり、また、さらに原子は原子核と電子とから成り、原子核は、さらに陽子や中性子などから出来ているというように、物質構造を素粒子物理学の立場から理解するように努められてきました。

かくして、量子論、量子力学などの思考体系から素粒子論としての学問体系が次第に作られてきましたが、その間、電子がその粒子性と波動性の二面性の性質を持つことが示され、光の持つ波動性が光子として粒子性を示す多くの実験事実が認められました。また、量子論から、ハイゼンベルクの不確定性原理が提示され、実験の観測とその精度などに関して根本的な理解の修正の必要が生じてきました。例えば電子の位置を正確に測定すれば、その運動量は必然的に不正確な値として測られるということになります。このことは、電子の存在をある意味において正確に規定することは原理的に不確定となることを意味するもので、粒子の存在確率という概念が生まれるようになりました。

また、化学反応の取り扱いにおいて我々は質量保存の法則（物質不滅の法則）を一つの背景として考えてきましたが、アインシュタインによって質量とエネルギーとの変換則が提示され、エネルギーと物質の両者総体に対する保存則が一層基本的な保存則として認められるようになりました。

さらに、原子の崩壊現象が解明され、原子爆弾の実現となったことは周知のとおりです。このような物質変換に関する科学的事実を考えるとき実態や存在の在り方に対して一体どのように考えるべきでしょうか。実在とは何かということについて、いろいろ改めて考慮しなおす必要にせまられる思いがいたします。これまで物的なものを世界の究極的なものと信じてきましたが、いま、それを信じ得る根拠となるものは皆無であると言っても良いと思われます。

3「根源的無」とその実在性

前に、科学には「世界全体」を認識する手段としては限界があることを述べました。即ち、科学は世界全体の認識の中の単に一断面を受け持つに過ぎないことを指摘いたしました。その断面とは分別の世界、合理性の世界に成り立つ一面でありまして決して世界の全体にわたる認識方法ではありません。我々が最も大切だと思うことは、存在を存在たらしめ、現象を現象たらしめている根源は何かということです。そして、その根源は世界全体を包むものであって、そのものが自由に生きて働くことによって、全てのものが創造され実現していくものでなければなりません。

世界全体を包むということは、「合理と不合理」、「分別と無分別」、「思量と非思量」、「理性と非理性」などの概念を超えて、それらを「主客未分」の世界として「自己同一的」に、あるいは「即非的」に全体を包んでいるものでなければなりません。

前述のように禅は早くよりこの根源的なものの自覚に徹することを本領としております。そこで禅の用語を借用して、その根源を「根源的無」と呼ぶことにします。「根源的無」は「創造的無」であり、相対的な有無を絶した「絶対無」とも言われるものです。私はこの「根源的無」こそ永遠の実在であると考えております。

この「根源的無」なる実在そのものが生きて創造的に働くことによって世界は顕現し、人間を始めとして生けるものの実存の相（すがた）が具体化していくものと思います。

この「根源的無」の自覚が「悟り」であると思います。禅における悟りは、決して単に観念ではなく、日常生活の根底をなす根本的な、かつ最も具体的な経験を対象としていることを忘れてはならないと思います。決して抽象的な概念でもなく空虚なものでもないということを承知しておくことが大切だと思います。

4 学問の道としての科学

現実の世界では、我々の行為が極めて高い精神活動の中において行われ、かつ「根源的無」の自覚に立って行為する場合は常に「根源的無」が生きて働くものと思います。例えば、優れた剣の達人がその剣技の極致において禅の悟りと同一心境に到達し、禅剣一致となり、殺人剣が活人剣に変わって「剣の道」が確立し、また、お茶の宗匠のお点前において茶禅一味を味わい得るように、技や術が剣道あるいは茶道と言われるように道にまで高められるものと考えられます。科学においてもこれが単なる学問的体系としてばかりでなく、「根源的無」の主体的創造としての「学問の道」として完成するように努めることが今後極めて大切であると思います。

5 創造活動における直観力とインスピレーション

今日の科学は概念論的であり抽象的になったと言われますが、それは科学の発展の経過とその思考過程や認識方法などから考えると学問体系となった科学においては当然であると考えられます。

しかしながら現在の我々は実生活において科学の恩恵に浴しているのであります。それは技術を通して科学という抽象的観念から具体的に実用化した諸機械や機構に負うもので、人類社会に大きな便益を与えており、これが今日の物質文化を築き上げてきたと考えられます。技術的創造性の開発に際して技術者はその具体化に思策を練る場合、必ずしも容易ではないのであります。何日も何日も問題に対して精神集中が行われた挙句に突如として無意識のなかに直接的結論に到達する道が啓示される場合がしばしばあると思います。このような三昧的行為のある瞬間において顕われる直観力は、必ずしも禅の悟りと同列に考えられるべきものではありませんが、科学的思考を超えた何かの働きが作用したもので、一般にインスピレーションと言われるものが働きます。これを私は「根源的無」の発露であると思っています。

6 創造的開発に際して重要な心掛け

我々が技術的開発に従事する場合、大切なことは次のようなことであると思います。

(1) 先入観を棄てること
(2) 高次元より物を見ること
(3) 思考における立場を固定しないこと
(4) 常に正しい価値判断をもつこと

⑸　歴史の本流を見定め、流れに即した方向に技術を進展させること

これらの条項は、一般的技術ばかりでなく生命科学から実際医学に具体化する場合も同様に大切な心掛けだと思います。

⑴、⑵、⑶の条項に関する事柄で、先入観を棄て、高次元の自由な立場から思考することが大切であることは、科学技術の創造だけではありません。既に仏典の金剛経に「応無所住而生其心」（まさに住する所無くして而も其の心を生ず）という言葉があります。また「無明住地煩悩」という言葉があります。これら二つの言葉は、全くとらわれのない心の自由な働きを教えたもので、前の条項⑴、⑵、⑶に該当する心掛けの教えと同一であると思います。そしてこの二つの言葉を沢庵禅師が柳生宗矩に与えたという『不動智神妙録』に引用して剣の極意を示しています。ここに技術的創造精神と剣の極意とに共通点が存在することは誠に興味深いものがあります。

また⑷の科学技術の創造に際して大切な「価値判断を正しく持つ」ということですが、この価値観については科学的判断の領域外の問題でありますが、正しい科学を創造していく上で大切な事柄なのです。

価値には一般に言う相対的価値判断というものがありますが、この相対的価値を超

えたところの「絶対価値」というものの存在を認識することが大切であります。この絶対価値とは「根源的無の主体的働きが創造していくこと」を言うのであり、その創造は過去や未来に拘泥しないで、自由に働いてくるそれ自身が「価値の創造」であると考えられます。即ち時代や環境などによって支配されないものであることから、これを「絶対価値」と言います。

また(5)の人類歴史の流れの本流を見通して科学技術の創造の方向を決定することの大切なことも、科学技術の在り方や動向を決めるために極めて重要であると思います。この歴史の本流を見誤るようなことがあれば、人類は科学によって滅びることにもなりかねないと思われます。

この辺の消息は決して科学技術分野ばかりでなく、芸術や文学など創造的行為が関与する精神活動において自覚されることは極めて大切であると思います。

価値の創造と文化の歴史を創造するには、人は自分自身が「根源的無」の主体となって生きて働くことでなくてはならぬと思います。

7 科学の功罪と人の功罪

現在の科学技術の目覚ましい発展は世に多くの貢献をしてきた面は確かにありますが、それと同時に、平和であるべき人類を熾烈極まりなき惨禍に追いやったのも科学技術のもつ罪悪の一面であります。この点、科学技術は両刃の剣であり、これまで人類にあたえてきた影響は功罪相半ばと言うべきであります。しかし、今後は功罪のバランスを破って、その罪過は人類滅亡へと導く可能性を示唆するのに十分なものがあると思います。

このような言い方をすると科学そのものに功罪があるように聞こえます。

しかし科学はある面において真実を表している一つの学問体系であります。真実には功罪はありません。科学をして罪悪たらしめるのは人間であります。人間の自我欲望から来る独断的偏見によるものであると考えられます。

人間ほどその極限状態において残忍性を示すものは他に無いと思います。生物の中で最も狡賢いのが人間ではないでしょうか。しかも自分では最も高尚で理性的で知性があると自惚れているかと思うと、何らの理由もなく全く興味の上から、あるいは趣味と称して他の動植物を殺生して何ら反省することがないのが人間です。人間には科学的知識があるだけに、その残忍性は陰惨を極めることになると思います。人間の心に制御する力が無くなったときこそ人類が破滅の奈落へ堕ちる時であります。

8「自他不二の自己」なるに自覚と、学・禅一如

世界全体の真理の中の単なる一面だけしか持ちえない科学を今日のような状態で跛行的に放任進展させることは最早人間に許されるべきではないと思います。

人間が真に科学の恩恵に浴するためには人間が速やかに現在の人間を超えて真実の人間に蘇ることが必要であると思います。これには人間がもっと根底に戻って人間の生き方の根本のところで考え直すしかないでしょう。

それは、人間すべて「根源的無」の自覚に立つことに他ならないと思います。それには前に申しましたが、自己の絶対否定による「超個の自己」すなわち「無相の自己」となって、そこから湧き出る慈悲を実行していくことであります。

慈悲は「自他不二の自己」という自覚において生ずるものです。

科学が真に「人間のための科学になる」ためには、また「人間のための科学にする」ためには科学を悪魔の手に渡してはなりません。

前に申しましたように科学と宗教は共に「根源的無」の主観的顕現ですから両者は円融無蹤の世界であります。このことが自覚された時こそ科学は単なる学術体系を超えて人間の道となり得るものと考えられます。そして科学と宗教の一味、すなわち「学・禅一如」の自覚を得ることが、最も大切なことと考えられます。

9 二元の世界にあって二元に惑わず

科学技術における創造の過程では科学者または技術者は常に大きな精神活動が要求されます。精神活動の場には常に禅がなければならないと思います。即ち、科学技術者は自分自ら「根源的無」の主体となって働くものでなければならないと思います。剣と禅とは両者が究極において生死の二元を超越することを目的とする点で一つであると思います。剣は勝つためというよりも生死を超越する技であり、剣の技からさらに剣の道への解脱であると考えてよいと思います。そこに剣禅一致があると考えられます。これと同様の意味において禅は科学精神の真っ只中に相即相入して生きるべきものと考えられます。

科学者は科学し、技術者は技術の開発に専念し、医師は仁をもって人の健康の厚生と保全に専心し、一般人はこれらの成果に浴して現実に生きているのです。これらの行為はいずれもそれぞれの人々が日常の生活の中で行う行為なのです。

このような日常行為は分別があり、論理があり、理性がある所謂二元の世界の中の行為であり、生活であります。我々人間はこの二元的世界の中で繁栄しているのです。

また宗教は超理性の世界、分別を超えた世界であることは前述のとおりであります。二元的な世界の中には煩悩があり、差別があり、闘争があると教えられ、二元的な考え方を脱し切った心境になるべきであると教えられてきたと思います。しかし、ここで心して注意しなければならないのは、二元的世界を嫌って一元的世界に帰するという考え方です。

二元的世界の外に一元的世界が別にあって、前者を嫌って後者を好むということですが、これは明らかに誤りであります。また迷いがあります。禅の世界は「二元即一元」「一元即二元」の悟りであります。科学は観念論だからいけないとか、抽象的であるから悪いとかいう意識で考えることは一つの迷いであると思います。禅は単なる観念ではなく、行為であり、生活であり、日々の経験そのものであります。日常の行往坐臥であります。そこに「平常心是道」とも言い、「日日是好日」とも言うのは、このところの消息を言うのです。

科学は観念論的であり、抽象的であるといいますが、科学者が科学するとき、すなわち論理的考察に没頭するとき、実験を行ってその真偽を検討しようとしているとき、また技術者が具体的なものを創造開発しようとするときは、一つの使命感を持って行動していると思われます。また医師が病人を前にして仁を施すのも、農夫が田畑を耕すのも皆それぞれの本分に生きる行為であると思います。そしてそれぞれの行為はいずれも合理と分別と判断を規範としての行いであると思います。この行為および生活の中に禅の精神が常に躍動することが大切であると思います。

すなわち「二元の世界にあって二元に惑わず」という心境が大切なのです。

ここで思い出されるのは、『菜根譚』にある次の言葉です。「風来疎竹、風過而竹不留声」（風、疎竹に来たる、風過ぎて竹に声を留めず）、これは風に対する竹の心境と言うべきもので、風が来れば竹はそれに従って音を立てるが、風が一度去ればあとは元の静けさにかえって風を忘れるという心境を表したものです。また『槐安国語（かいあんこくご）』に次の言葉があります。「竹影掃階塵不動、月穿潭底水無痕」（竹影階を掃って、塵動ぜず、月、潭底を穿って水に痕無し）。これは石段の側の竹が風で揺れてその影が石段にゆれ動いているのに、階段の塵はそれに応じて動かないでいる。また月影が池の底面までさしているのに池の水は何の痕も残していない、という意味の話です。一つとも私の大好きな詩であります。また吉川英治氏の「晴れた日は晴れを愛し、雨の日は雨を愛す。楽しみあるところに楽しみ、楽しみなきところに楽しむ」の一言は「二元の世界にあって二元に惑わされず」の心を表しており「日日是好日」に近いと言えましょう。これらの詩や言葉に表されている心境はいずれも「二元即一元」「一元即二元」の心境の一端を示しているものと思っています。

学問は学者によって創造されますが、その成果に浴するのは一般人であります。人はこの学問を決して単なる知識として利用することは謹まねばなりません。前述のように学問はあくまでも「道」として使わなければなりません。道とは人の踏み行うべき規範であり、道徳であります。規範とか道徳とか言うと、そこに制約されたものを感ずるのですが、ここでは何物にも制約されない自由に「根源的無」が生きて働いてくる道でなければならないことは勿論です。したがってここに言う規範とは限定されない規範であり、道徳といっても「己の欲するところに従って即を越えざる道徳」なのです。臨済禅師の言う「随処に主となれば、立処皆真なり」に基づく「自由の道」であります。

自由の道というのは、また親鸞上人の「自然法爾（じねんほうに）」の精神に示されるように、おのずから然らしめる「法の道」と考えてもよいと思われます。

自然法爾は仏の知恵と慈悲一体としての顕現であり、光明であります。慈悲は宇宙全体のあらゆるもの、すなわち生きとし生けるものばかりでなく、一介の無生物に対してさえ施すべきものとの教えです。

世界の人々の一人ひとりがすべてこのような慈悲に目覚めてこそ初めて、人類社会に平和と栄光ある文化が築かれるものであると思われます。如何に科学が人類に大きな貢献をしたとしても、人間に慈悲が満ち満ちていなければ、いつか人類は滅亡の危機にさらされることになるであろうと思われます。

このことは決して人間将来の危惧ではなく、今日既に人類を滅亡させ得る核兵器が用意されております。いつでも誰かがボタン一つ押せば人類は滅亡するように準備されております。

⑩ 結　言

「科学と宗教」に関して私が最後に申し上げたいのは次のことです。即ち、「根源的無」は主体的に科学を創造し、科学の中に生きて、「無」を損なわず、科学を破らずということであります。

即ち「根源的無」は二元的分別や理性の中に生きていて、分別を分別たらしめ、理性を理性として生かし、また生死にあたって生死の理を破らず、生死はそのまま生死の相（すがた）を変えないのです。

生死は二元的分別の中で人間の心に最も深刻に迫ってくるものです。それ故にこそ生死は人間の実生活においての悩みの頂点として考えられ、その悩みの救済または解脱のために宗教が人間にとって信仰の的として大切にされるものと思います。そして、「根源的無」が、宗教的に働くことによって生ずる自覚が、悟りであり、道元の「身心脱落、脱落身心」であり、親鸞の「自然法爾」であり、臨済の「無位の真人」というような言葉となって表現されてくるのです。

これらの聖賢の言葉は、人間は「真実を求めて真実に生き、真実に生きて真実を忘れる」という、実生活で平常心を持つべきことを教えるものであると思います。「真実に生きて真実を忘れる」ということは「廓然無聖」にして絶対自由からくる「無我の行為」を意味しています。

「真実に生きて真実を忘れる」ことのための心掛けとしては、前述の「学・禅一如」のところを常に見失わないようにすることが大切であると思っています。それは理性と超理性の合一の原点を見ることができるからだと思います。そこで次の言葉を座右に置いています。

「学を好みて法を好まざれば、その幣や盲なり」

「信仰を好みて学を好まざれば、その幣や邪なり」

11 あとがき

東京工業大学から東京理科大学工業化学科に赴任された森谷太郎教授は、理工学部長を歴任された折に、私を助手として採用してくださいました。森谷先生が定年後工業化学科の講師として、私の個室に来られた折に17年間の長きにわたり「科学と宗教」についてお互いに意見交換をさせて頂きました。その折に機会があれば出版して欲しいと要望されておりました。出版するに際して改めて宗教について参考文献を考察し、一応の結論が得られたので執筆した次第です。素晴らしい人格者であった(故)森谷太郎教授に心より感謝の意を表します。

参考文献

1　西田幾太郎『自覚に於ける直観と反省』
2　田辺元『懺悔道としての哲学』
3　古田紹欽『宗教とは何か』
4　古田紹欽『仏教とは何か』
5　秋月龍珉『道元入門』
6　沢潟久敬『哲学と科学』
7　八木誠一『現代にとって宗教とは』
8　倉田百三『法然と親鸞の信仰、上、下』
9　岡邦俊『浄土真宗とキリスト教』
10　浅野順一『キリスト教概論』
11　鈴木大拙『禅による生活』
12　鈴木大拙『仏教の大意』

科学的な物の見方・考え方

Ⅰ　物の見方・考え方

日本の場合、外国から影響力のある文明がたくさん流れ込んだため、自分たちのキャパシティに合うものと合わないものを選別し、多くの物を並列的に並べ、そこから自分達に合うものを取り出して配合し、組み合わせるのが得意と言われます。

このようなことを常に行っているので、帰納的な発想を持ち、経験知を重視した意思決定をする傾向が強いようです。半面、真理は世界に一つしかないという発想に欠けることから、「何でもあり」という融通無碍な面があるようです。その理由は日本の多神教の文化から来ているのでしょう。

一般に研究論文を書く時のルールとして、

1　明らかに真理であると認められたものだけを判断の基準とする（明晰判明）。
2　可能な要素に分割して考察する。
3　単純なものから複雑なものへ自然な順序で認識を進める。

4　見落としがないことを十分に確かめて、完全な列挙と再検討により全体を構成する（綜合）。

近代以降、自然科学を観察する方法、積極的に調べる手段が開発され、データから法則を導く理論や、数学などに抽象化する方法が進展し、自然科学に強固な基礎が築かれてきました。科学がその価値を認められているとすれば、個々の分野の詳細な知識だけでなく、科学以外の分野においても使える「物の見方・考え方」が鍛えられてきたからです。

人は何をどのように見るべきか、また何を学び、何を考えるかについては常に正しい意識を持つことが大切であると思います。

科学的な物の見方・考え方と芸術における物の見方は勿論異なり、生き方や人間の在り方についての考え方の構造は**「科学的な物の考え方」**とはその構造に大きな相違があります。

「物の見方・考え方」は現代の私たちにとって大切なことと思われるので、私見を述べてみます。

II　科学的な世界における物の見方・考え方

1 科学の要件

(1) 実証性・客観性＝事実に基づく（いつでも・どこでも）
(2) 論理性（体系性）＝知的作業、評価の共有（誰でも）
(3) 法則化・抽象化（非個性化）＝再現性、予測性（みんなに役立つ）
(4) 自己否定の論理＝発展性

厳しい反証の試みに耐えるほど、強力な科学になりうる。

2 科学は客観的世界

多くの法則が統合された自然科学が構築されると、その知識を用いて、未知の自然現象を予測し、それを調べる技術も開発され、実証されるようになってきました。その結果、自然科学の体系はますます豊かに強固なものになってきました。

前に述べた要件のように科学は客観的世界であり、物の見方・考え方にはいろいろあります。

物の見方には**「主観的見方」**と「客観的見方」とがあり、科学の世界はあくまで客観的見方が要請されなければなりません。それは科学的な真実、または科学的真理というものは万人が等しく真実と認め、真理として認識できるものでなくてはならないからです。

また、科学的諸現象に対して正しい推論および思慮思索による合理的理論体系を確立することが大切です。

科学的思考は客観的対象に対する論理の道筋をたどるもので、その結論は学問に裏付けられる体系を持ち、科学的事実を客観的に納得させるものでなければならないのです。科学的真実は一般的普遍性が要求されなければならず、ある一定条件の下での繰り返し実験によって、ある精度で常に同一結果が保証されることが要請されます。

③ 科学的論理による論理構造

科学の一義性と普遍性が保証されるような論理を組み立てるには、一つの枠組みが必要です。その合理的論理の枠組みは、次の規律を構造中に持つことが必要です。すなわち、

⑴「AはAである」（同一律）

Aはそれ自身Aであって A以外の何物でもない。これは「Aは一義的にAである」ことを示す。

⑵「Aは非Aではない」（矛盾律）

これはAはA以外の物でないことを示す。

⑶「Aでもなく、非Aでもないものはない」（排中律）

この三つの律則が揃って初めて、AはAであるという一義性（Aの自己同一性）が成立します。

この律則は科学技術分野ばかりでなく、一般社会における法律、経済などに対する判断や言語表現として日常生活において有効に使われているもので、我々の分別的思考や判断に役立つ所要**「分別知」**を構成するものです。このような言葉の枠組みがあればこそ**「個」**を個として一義的に決定する（アイデンティファイ）ことができます。

4 科学技術における物の見方・考え方

科学技術における問題の捉え方や考え方のポイントは次の通りです。

(1) 先入観を棄てること
既成概念を持っていることは、往々にして人の創造性を妨害する。

(2) 異なった角度から物を見、考えること
物を見る方向を変える。または異なった立場に立って物を見ることは新しい発見をうながす、きわめて有効な方法となる。

⑶　一つの事実に対し、矛盾対立した二つの心理が考えられる場合の解決

物の見方・考え方にはいろいろあるので、一つの事実に対して互いに矛盾対立する二つの考え方が出る場合がしばしばある。

このような二つの対立を解決するには、その対立の実相を見極めてその統一を図る必要があります。そして同時に、両者を統一するための鍵を発見することが大切であります。

例えば、ニュートンによって創始された古典力学に対し量子力学が創設されましたが、前者は連続的現象、因果論的、決定論的理論体系の力学であるのに対し、後者は非連続的、非決定論的、確率論的現象における創造的力学体系なのです。

この両者は物理学的世界像として全く異なったもので、矛盾対立した理論体系と言わなければなりません。

しかるに物理学者は、この両者の対立する実相に深い洞察を加え、両者を統一する鍵として、プランク定数（$h = 6.62 \times 10^{-27}$ erg.sec）という微妙な「作用量子」を見出しました。すなわちこのプランク定数の値をゼロにしたとき、量子力学は古典力学を包むことになり、両者の矛盾対立は解消されます。そして古典力学も量子力学も共に

科学の真理としてその本質を失うことなく、科学の基となっているのです。

また科学的現象に対し、**「巨視的物の見方」**から確立した熱力学は、「微視的見方」から成立する統計力学とは矛盾するように思われましたが、この両者は、**「分配関数」（Z）**と系の**「全エネルギー」（E）**との関係を示す、

$$E = NKT^2 \ (dlnZ/dT) \cdots\cdots\cdots\cdots (1)$$

および**「エントロピー」（S）**という概念と系の状態に関する**「統計的確率」（W）**との関係式、すなわち、

$$S = KlogW \cdots\cdots\cdots\cdots\cdots\cdots\cdots\cdots (2)$$

との二つの関係を一つの鍵として、矛盾なく統一的に把握し得たのですが、これらの統一的解釈は物理学者、科学者の英知によるものです。

5 科学的真実

物事が真実であるか否かを判定するには、その認識思考の過程が合理的で論理が正確であることが必要です。論理が正しいためには、三つの律則、すなわち、**同一律、矛盾律、排中律**が論理的思考の枠組みとなっていることが必要です。

また、科学的真実は客観的対象が実験的事実として確認できることが必要です。実験事実に合わない事柄は、何か思考に誤りがあるか、あるいは思考内容に何か重大な要素が欠けているか反省しなければなりません。

6 科学の領域

科学はその対象を客観的に見ることによって体系づけられた学問であり、客観的真理を保証するものです。

科学は物の性質、物と物との関係や現象について解明しますが、物自体、物の存在そのものについては問いません。

物が**「どのような」**性質を持ち、**「どのように」**変化し、**「何故に」**また**「何が原因**

で」その現象が現れるかという追究は可能ですが、その物は「何か」という**「存在の根源」**に対しては答えません。

これは科学では答えられないのです。そこに科学の必然的領域が存在し、また限界があると言えます。

また次に述べる「意識」や**「心」**の働く世界に対しても科学の限界が現れます。

Ⅲ　意識の世界に於ける物の見方

科学は前述のように客観的に物を見ることによって成立し、自己のほかに対象を置いて、正確な観測を通して定量的に性質や事柄を区別することから始まります。

しかし、自己の意識の働く世界においては一般に主観が加わり、純粋な物の見方ができません。科学を**「知性の世界」**とすれば、意識の働く世界は**「感性の世界」**と見ることができます。またそれは**「心の世界」**とも考えられます。

1 絵画の世界

一幅の絵画は人の心に強く感動を与えることがあります。描かれている線や色彩から発する画面全体の雰囲気、調和的に統合された構図、それらが一体となって心に伝わってきます。

ヨーロッパの人達が葛飾北斎の浮世絵に驚いたのは、構図と線の描写のすばらしさ、非対象的な構図で自然を描いているのですが、波しぶきの形など、一瞬に構造をとらえて、また対象物をイメージして描くという、明確な視点を持っているということ、浮世絵は線が命なので、線で多くの対象物をダイナミックに描く能力が高いということにです。一方、北斎漫画は二次的に描きながら、ほぼすべての顔の表情を書いている。さらに、物事を単純化し、余計なものを書かないという大きな特徴。19世紀以前のヨーロッパの自然主義は、綿密にすべてを描かないと絵ではないという発想、対する浮世絵は主観的に認識したものを表現する芸術なので、19世紀後半からの印象主義や象徴主義などの芸術家達と共鳴し、自然主義からの転換を促すきっかけとなりました。

2 緻密な不完全性の美学

日本の楽焼（楽焼碗）は「手捏ね」、手で捏ねて作られるので、形状も完全な円筒でなく、厚みも微妙に不均一です。それでも、そこに確かな美しさをまとわせているのは、素材を生かし、自然の流れに従おうとする職人たちの洗練された技術があるためで、全体として不完全な形を残し、その中に美が見出されます。

日本の友禅の着物は、幅38㎝、長さ約12ｍの反物を裁断仮仕立てをし、下絵を施して反物に戻し、いろいろな工程を経て模様が完成すると、縫製されて立体的な形となります。

着物の上から下まで流れる動きの中に隠れた数学的比率や秩序を保ちつつ、それを幾何学的な模様に展開する、これが日本のプロセス・イノベーションなのです。

これは科学における観測や思考からでは得られない感動です。

東洋における墨絵は特殊な感動を与えます。

白紙に黒一色の線が極めて簡素に描かれ、しかも余白が絵全体を調和させ、かつ支配しています。

墨絵は、描かれていない余白の空間が効果的に絵の全体を調和させます。この**「描かずして描かれている」**空間こそ墨絵の特徴と言っても良いでしょう。このような墨絵の世界は科学的分析や思考では決して到達し得ない境地です。

一幅の絵画は色彩とその筆致によって構成されてはいますが、それらの一筆一筆がそのまま一如となって美を表現します。

3 音楽の世界

音楽は音によって組み立てられていますが、それは単なる音の集合ではありません。科学の立場からは音は物体の振動により生じます。しかし、科学は音とその集合の存在を検証できません。音楽は**「感性的表現」**なのです。

例えば一曲のシンフォニーにおいて最初に発する音は単純な音であると同時に、その音はシンフォニー全体とかかわりを持つ音であり、全体としてのまとまりを持っているのです。このまとまりがシンフォニーを創っています。このようにシンフォニーはそれぞれの音の重なりが、調和的、統一的一如となって音楽を表現するのです。

音楽には**「間」**というものがあります。この**「間」**（休止符）も極めて大切なのです。

我が国特有の民謡においては**「間」**を大切にしています。**「こぶし」**と言われる、言葉として意味を持たない**「節回し」**があります。

これは歌の心が言葉の意味を超えてその感情を表現するのに極めて有効と思われます。

墨絵の**「空間」**とか、民謡の**「間」**とか**「こぶし」**のように描かずして描かれ、歌わずして歌われているところが極めて重要と思われます。沈黙して雄弁に語るものを持っています。

「沈黙は語り」「沈黙は雄弁なり」というのが見られます。

黙々として天と共に語り、黙々として天と共に行く　**（西田幾多郎）**

4「多即一」の世界

意識の世界、心が働く世界においては、科学の客観的、対照的世界と異なり、個物を個物として他の個物と明確に区別し比較して論ずることができないところがあります。

つまり、この世界では、Aという個物は他の個物（非）ではないという律則が成り立たない。心の世界では個は個にして単なる個ではない。「AはAにしてAならず」ということがあります。すなわち**「個の和的統合」**という世界があります。それぞれ独立している多くの個が**「一如」**となって働くということがあります。

絵画においてそれぞれの色彩を表す絵の具の一筆一筆のタッチはそれぞれ個を表現

しますが、その個の（「多」）が調和的に統合（「一」）して「一如」となり、これを「多即一」で表しています。

また一如として表現されている一幅の絵（「一」）は多くの「絵の具」の一筆一筆（「多」）によって成立しているので、これを「一即多」と言います。すなわち、一幅の絵は「多即一、一即多」で表現できる世界です。我々はこのような世界のあることを認識しなければなりません。同一律「Aは一義的にAである」、および矛盾律「Aでも非Aでもないものは存在しない」というような科学的思考において成り立つ形式論理の原則はここでは成り立ちません。

「一即多、多即一」という言葉は元来仏教の言葉ですが、禅学の大家である鈴木大拙博士はこの論理を「即非の論理」と述べています。これを律則として表現すると、「Aは即ち非Aである、よってこれをAという」と言い表すことができ、これは一般の合理的論理と全く異なる論理形式です。

また、宗教哲学の西田幾太郎博士はこれを「絶対矛盾的自己同一」と述べています。「多」と「一」とは絶対矛盾ですが、これを「即」で結んで自己同一を示しています。

音楽も同様で、個々の音色（「多」）の組み合わせによる調和的統一（「一」）がシンフォニーを構成し、ここに「多即一」の「即非」の論理が成立しています。

5 芸術の創造性と真実性

科学における真実性は実験により保証されますが、心を主体とした感性の世界あるいは意識の世界では、**「美意識」**とか**「審美眼」**とか**「音楽の心」**とかいうものはいずれも主観の働く世界であり、数多くの芸術品を鑑賞し、また技術的訓練を通して、これらの眼を養うことで、芸術品の品位と価値を認識する客観的評価能力を持つことができるようになります。美しい物は誰が見ても美しいという客観的事実があることが示されます。

主観が客観性を持つということは芸術や音楽が客観的に実在し、真実性を持つことを意味します。

Ⅳ　人生に対する物の見方・考え方

1 差別とエゴイズム

生まれてから死ぬまでの短い人生をいかに生きるかということを真剣に考える人は幸いです。

我々の生きる世界は、差別の世界です。

自分と他人とは明確に区別され、生きる環境や境遇によっても物の考え方に差別が生じます。このように個別の人間が社会の中に生きていきますが、その間にも物質の豊かさに差異が生じ、社会的地位にも上下が現れ、喜怒哀楽の感情、幸不幸を思い、己を哀れみ、他を羨む心が生じます。そればかりでなく生身の我々は時折病にかかり、老齢となってやがては必ず死を迎えるのです。このように、多かれ少なかれ人は心に不安を抱かされます。

我々はこの差別の世界、分別の世界にあって、**「より良き生活」**、**「より良き社会生**

活的地位」に憧れ、**「より良き甲斐」**を求めようとします。これは一種の向上心ですが、勝ったと思ったとき充実感を覚え成功したという満足感を持ちます。己が他人との競争に勝ったということはある意味で優越感を誘発するでしょう。自己満足感、自己優越感は、自己と他己との間の**「差別感情」**であり、**「分別知」**の現れです。そこに利己主義、即ちエゴイズムができあがる危険性が生じるのです。

このような利己的な個が作る社会は、またエゴ社会にならざるを得なくなると考えられます。

2 人間の評価はエゴを作る

現代の我が国における教育制度をはじめ社会制度において我々は幼少の時代から老年に至るまで、生存競争の激しい中に一生を送ることになります。学校教育においては知識偏重の教育が強要され、個人の能力や才能を無視して詰め込み教育が行われます。その成績に対して点数が付けられ、成績順位と偏差値を以て人を測り、その人の将来の進路を指定します。人を評価し優良劣悪を分別し、**「落ちこぼれ」**を作ります。**「落ちこぼれ」**はそのために自暴自棄となり、人間存在の意義することなくただ自己保存の本能的行為にまかせ、極端なエゴとなり社会秩序を乱す人間が社会に続出することになります。

幸いにして落ちこぼれることもなく最高学府を終えて社会にエリートとして迎えられた人も、また社会の中で評価を受けつつ一生を送ることになります。

差別的社会、分別的社会はエゴを作る温床となります。エゴは人間個人にのみ現れるものではありません。国家には国家のエゴが生じ、社会には階級のエゴが生じます。エゴは排他的となり社会に不安をもたらします。

3 エゴと愛

エゴ（利己）の反対は利他です。利他の本質は**「愛」**であり、**「慈悲」**です。愛は社会に潤いを与え、他を包み、相互に信頼し、他の喜びを自己の喜びとし、他の悲しみを自己の悲しみとなし、**「自他不二」**を自覚せしめるのです。

これは**「純真の心」**の世界であり、**「心の本性」**に基づくものです。

「愛」とか**「自他不二」**という言葉は**「分別心」**から出るものではありません。また外側から自己を縛るような道徳や論理からは真の愛は生まれません。

自分と他人とが対立し合い、否定し合っている状況の中で、その心底から**「自他共に生かす愛」**が成り立っていくのです。それは自他を超えたものの働きであると言えます**（八木誠一『愛とエゴイズム』東海大学出版会）**。

愛は人間存在の根源にある創造的発露というべきものなのです。

4「超個の個」「無相の自己」

エゴは時として平和を乱しますが、愛は常に平和です。エゴは自己を誇示しますが愛は自己を**「無」**にします。自己を**「無」**にするところに愛は生まれます。

愛は**「無我」**の行為です。自己が全く滅して**「絶対無」**となったとき、**「無」**が創造的主体として働いてきます。これが愛なのです。名利、愛欲、執着が少しでもあれば、そこには真の愛は成立しません。**「無我」**は己を無にしたとき、「己を超えた自己」が顕現します。これはもはや有限、有相の自己ではなく、自己（個）を超えた自己（個）が顕現します。有限、有相の自己ではないので、**「無相の自己」**と言われます**（久松真一・八木誠一『覚の宗教』春秋社）**。

我々が**「真の人生」**を掴むには、このような有形有限の我を超えた存在である**「超**

個の個」あるいは、**「無相の自己」**を自覚することが大切です。

キリスト教では**「神は愛なり」**という。また、パウロは**「もはや我生きるに非ずキリスト我がうちにありて生くるなり」**という。

これはパウロの**「生」**は自我が生きているのではない。自分は**「無我」**である。自分が生きるのはキリストが我がうちにあって生きるのであるという。

我々の自己（個）は何処までも自己の底に自己を超えたもの**（超個）**において自己を持ちます。自己否定において自己を肯定するのです。

これは**「超個の個」**の生き方です。

5 逆対応の論理（場所的論理学）

西田哲学に**「逆対応」**の論理というものがあります。それは**「超個（神）の個（人）」**は**「逆対応」**の論理に従うといいます（秋月龍珉『鈴木禅学と西田哲学の接点』三一書房）。

このことを分かりやすく解説すれば次のようである（森谷太郎）。

神仏（または愛）をXで表し、個（人）をxで表せば、

$X = 1/x$……………………(3)

のような関係に対応することを示す。

即ち、Xとxとは逆対応関係となります。

自己（x）を無にしたとき（xを零にしたとき）、(3)式は、Xが無限大になることを示します。つまり自己否定（$x-0$）によって初めて絶対なる神や仏が全面的に現れて自己を肯定します。

このことで**「自己がなければ全てが自己である」**ということが理解されます。また禅の言葉で**「無一物中無尽蔵」**という言葉があります。これは**「逆対応」**の論理を表しています。

無一物は**（X－0）**を示しており、無尽蔵は**（X－∞）**を示します。

我々は絶体絶命**（自己否定）**のとき神や仏を見る**（逆対応的）**ように、いつも絶対者に接しています。

「神は愛なり」あるいは**「愛は神から由来する」**と言われますが、これは神によって人間が愛の主体たらしめられることです。そして愛とは**「自己愛」**ではなく、エゴイズムを否定する愛であり、日常的な知性によって影響されるような不自由な拘束から脱却した主体**（超個の個）**の愛なのです。
この愛は絶対的自己否定を媒介として成就します。

⑥ 純粋経験と主客未分の境地

物を見るとか考えるとかいうことには、見るものと見られるものとがあります。即ち見るものの主体が、見られるものの客体に働きかけることであると理解されてきました**（科学的物の見方・考え方）**。

しかし仏教、特に禅においては、**「心境不二」（心は主体、境は客体）**、あるいは**「物我一体」**と言って、そこに**「無相の自己」**が現前します。また、**「我れ天地と同根、万物と同体」**という自覚が生じます。

「心境不二」とか**「仏我一体」**とかいう境地は、無我となって全てのものに**「三昧」**になったときの境地です。西田哲学ではこの**「三昧」**を**「純粋経験」**と言っています。

ここでは、主観もなければ客観もありません。

主体もなければ客体もない、即ち**「主体未分」**の世界です。

「三昧」の境地にあっては、主観も客観もなく**「主客未分の直接経験」**なのです。そこでは「**分別心**」や理性も現れない「**超理性**」の世界となります。このときは正に「**主客一如**」の境地なのです。

7 哲学的真実と宗教的真実

哲学的事実の実証方法は科学的実験や芸術経験を積み上げるような方法と異なるもので、哲学的真実は合理の世界、理性の世界であり、常に透徹した深い思慮と直観が必要なのです。

また、その論理の妥当性と思慮思考の道筋に誤りがないよう常に反省してゆくことが大切となります。その真実性は「**直観**」と「**思索**」と「**反省**」の絶えざる繰り返しによって確かめてゆくことになります。これに対して、宗教的真実は純粋経験を媒介として自覚された「**無我**」を体験することによってその真実性を見ることができます。

これを宗教的体験と言います。

8 人間として生きる

我々が「人間として生きる」ために大切なことは、「物の見方と考え方」であると述べてきました。言い換えると、正しい思想を持つことに他なりません。思想はその人の行動を律する上に大切な指針となり原動力となります。特に科学的思想と哲学的思想とは真の宗教を理解し自覚することが必要なのです。神や仏に対する正しい認識は「人間が人間を超えて真の人間である」ことを自覚する上に不可欠であるからです。

たとえ人が科学者であり技術者であり、また、芸術家として立つとしても自分が「人として生きる」ためには、科学的思想と哲学的思想によって培われた理性を実生活の上に真に生かしてゆくことが重要です。そのためには**「宗教的生き方」**を常に**「正念相続」**していく心がけが大切となります。

9 日本の将来

20世紀は科学と技術が大地を揺り動かすほどの進歩を遂げた世紀と言われます。それを代表したのがアインシュタインと言われています。

「科学の世紀」という言葉には勿論、地球温暖化や核化に象徴される、科学と技術が人類にもたらした脅威も含まれています。

このように科学とは何よりも、過去の世界を「知り、理解する」という人間の業があります。「知ること」は人間にとって、途方もない喜びであり、力を与えます。過去の実績等を理解しようという科学的好奇心は、はるか昔から人間の本能と言われています。

科学に対し真摯に、鋭く新しい思考を持つ若い科学研究者が出てきてほしいと願っています。多くの科学研究者は新しい事実の発見のために一生を費やして頑張っています。

「理系」(理学・工学)だけでなく、文系においても科学の習得は必須となっています。日本の社会で科学の位置づけを見ると、理系、文系や縦割りが著しく、官庁の役員の多くが圧倒的に文系出身であり、これは政治家や民間企業の役員でも圧倒的に文系出身者が多いと言われています。

欧米や中国、韓国等アジア諸国は、官僚や政治家を含めトップの半数が理系出身者であると言われており、日本は「文系主導国家」と言えます。

これにより科学の高度な専門知識などは、政策上あまり生かされていないのではないかと思われます。

顕著な例としては、科学的な対応や組織の貧弱さが福島原発で表れたのではないでしょうか。

自然をよく知らなければ、人間が自然に対して何をしているかを知らなければ、人類文明の未来は闇です。未来のために科学の見通しに基づいた賢い政策がとれるよう、日本社会も、社会に基礎を置いた組織やシステムに変化してゆくことが必要でしょう。科学により進歩を遂げたといえど解決すべき問題は山積しており、改めて科学的好奇心を奮い立たせ未知で困難な未来を切り開いてゆくことが重要です。

参考文献

1 濱田嘉昭『科学の考え方』
2 野依良治他『科学をめざす君たちへ：変革と越境のための新たな教養』
3 村上和雄『科学者の責任』
4 海部宣男『科学から何が見えるか』

あとがき

人が科学者であり技術者であり、また芸術家として立つとしても自分が「人として生きる」ためには、科学的思考と哲学的思想によって培われた理性を実社会の上に真に生かしてゆくことが重要です。そのために「宗教的生き方」を常に「正念相続」してゆく心がけが大切となります。

自然をよく知らなければ、人間が自然に対して何をしているかを知らなければ、人類社会は闇である。未来のために科学の見通しに基づいた賢い政策がとれるよう、日本社会も、社会に基礎を置いた組織やシステムに変化してゆくことが必要であろう。

最後に、この本を出すに当たり、私の癖のために表現が疑問視された点を東京図書出版の皆様が見事に適切な校正をしていただきました。ここに深く感謝の意を表します。

長井　平野（ながい　ひらの）

1935年山形県長井市生まれ
山形県立長井高等学校卒業
東京理科大学博士課程、理学博士
学部長、理事、山口東京理科大学長、
越谷市生涯学習委員長等を歴任

【著書】
『米沢上杉藩の農業用水「飯豊山穴堰」の難工事』（東京図書出版）

科学と宗教

科学と宗教Ⅰ・Ⅱ　科学的な物の見方・考え方

2021年2月28日　初版第1刷発行

著　　者　長井平野
発 行 者　中田典昭
発 行 所　東京図書出版
発行発売　株式会社 リフレ出版
〒113-0021　東京都文京区本駒込 3-10-4
電話（03）3823-9171　FAX 0120-41-8080
印　　刷　株式会社 ブレイン

ISBN978-4-86641-386-0 C0095
Printed in Japan 2021